Mademoiselle
ZOUZOU

Dans la même série

Range ta chambre !
Oh ! Là, là ! Quel trac !
Je veux être grande !
Ouh ! La chouchoute !
J'ai pas compris !
Où est passé mon Choulou Chéri ?
Tu m'oublies pas, hein ?!
Quel cauchemar !

© First-Gründ, 2013

ISBN : 978-2-324-00495-7
Dépôt légal : juin 2013

Ouvrage publié sous la direction de Xavier Décousus
Maquette : Karine Dubuc

Éditions Gründ
60, rue Mazarine 75006 Paris – France
Tél. : 01 53 10 36 00 – Fax : 01 43 29 49 86
www.grund.fr

Agnès Aziza

Mademoiselle ZOUZOU

Tu m'oublies pas, hein ?!

Illustrations d'Élisabeth Schlossberg

Personnages tirés de la BD *Mademoiselle Zouzou* publiée dans le magazine

1

OH ! LÀ, LÀ ! QUEL OUBLi !

Demain est un grand jour pour Zouzou. Elle part en vacances avec ses copines Clara et Lulu! Une semaine chez les grands-parents de Lulu! Elles vont bien s'amuser toutes les trois car elles sont les meilleures amies du monde!

C'est la première fois que Zouzou sera si longtemps sans sa famille. Elle se sent une grande fille car elle n'a même pas peur. Elle est vraiment très fière.

DING DONG ! On sonne à la porte.

– Tiens, qui est-ce ? s'étonne papa.

Soudain, maman porte sa main à sa bouche :

– OH ! Là, là ! Quelle étourdie ! J'ai complètement oublié ! J'avais proposé à papou et à mamou de venir dîner ce soir pour être avec Zouzou avant son départ...

– Je peux aller leur ouvrir ? lui demande sa fille.

– Non, c'est moi ! dit Rémi en se précipitant vers la porte.

– Ah non ! Ça t'as pas le droit ! s'énerve Zouzou en courant après lui, mamou et papou viennent exprès

6

pour moi !

– Pour moi aussi ! répond son frère, blessé par les paroles de sa sœur.

Zouzou se met devant la porte. Rémi la pousse avec force. Papa arrive, les sépare et ouvre à ses parents.

– Quel accueil ! s'exclame mamou en embrassant ses petits-enfants.

– C'est lui qu'a commencé ! se plaint Zouzou.

– T'es qu'une sale menteuse ! crie Rémi.

– Ça suffit ! intervient papa mécontent. Faites la paix tout de suite !

Zouzou a les bras croisés et regarde son frère avec colère. Ce dernier a les poings serrés tellement il est fâché.

– Très bien, dit maman d'une voix ferme. Vous resterez dans l'entrée tant que vous ne serez pas réconciliés.

L'air mauvais, Zouzou regarde son frère dans le blanc des yeux.

2

JE SAIS QUE VOUS ALLEZ M'OUBLIER !

– Vivement que tu t'en ailles ! s'exclame Rémi. Je vais avoir la paix pendant une semaine !

– Moi aussi ! répond Zouzou. Et quand je reviendrai…

– … On t'aura tous oubliée !!! la coupe son frère avec colère.

– N'importe quoi ! C'est impossible ! répond Zouzou.

– C'est arrivé à une fille de ma classe, affirme Rémi. Elle est partie trois jours et personne n'est venu la chercher à la gare à son retour. Toute sa famille l'avait complètement oubliée ! Puis il ajoute en regardant sa sœur dans les yeux :

– Elle, c'était que trois jours ! Imagine, toi, tu pars une semaine !!!

Zouzou se met à douter... Mais elle se reprend et affirme :

– Jamais maman et papa ne pourraient m'oublier !

D'un air très sérieux, Rémi répond :

– Tu pensais qu'un jour, maman pourrait zapper mamou et papou ?

Zouzou fait non de la tête. Son frère ajoute, sûr de lui :

– Si tu pars, on t'oublie, c'est obligé.

Ça ne peut pas être autrement.

Épouvantée, Zouzou se précipite dans le salon en pleurs.

– Que se passe-t-il mon poussin ? demande maman en prenant sa fille dans ses bras.

Papa quant à lui est retourné voir Rémi dans l'entrée.

– J'ai rien fait ! se défend celui-ci avant de se réfugier en courant dans sa chambre.

– J'espère que tu dis vrai, Rémi, sinon gare à toi ! prévient papa très en colère.

Dans le salon, Zouzou raconte ce que lui a dit son frère.

Ton frère dit des bêtises!

...de grosses bêtises!

– Ce sont des bêtises plus grosses que lui, affirme papa en regardant sa fille dans les yeux.

– Jamais on ne t'oubliera ma petite puce, insiste maman en l'embrassant tendrement.

– T'as bien oublié que mamou et papou venaient dîner ce soir à

la maison, s'inquiète Zouzou entre deux sanglots, alors pourquoi tu ne m'oublierais pas, moi ?

Mamou lance un regard pincé à maman. Elle n'a vraiment pas l'air content. Maman rougit comme une enfant prise en faute.

heu...

Vous avez oublié votre belle-mère ?

– J'ai oublié que tes grands-parents venaient dîner, c'est vrai, explique maman, mais pas qu'ils faisaient partie de notre vie ! Puis elle ajoute en souriant à mamou : comment l'oublier ?

Zouzou aimerait bien croire ses parents mais le doute est là et il ne veut plus partir. C'est comme un chewing-gum collé à la chaussure : pas facile de s'en débarrasser !

Mamou et papou vont parler à Rémi dans sa chambre. Il est allé trop loin avec sa petite sœur et il doit le comprendre.

Comment Zouzou peut-elle être

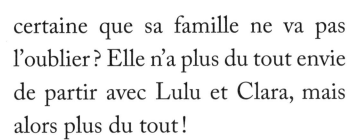

certaine que sa famille ne va pas l'oublier ? Elle n'a plus du tout envie de partir avec Lulu et Clara, mais alors plus du tout !

– Je veux plus y aller, dit Zouzou en regardant maman avec des petits yeux tristes.

– Je te promets que ni une maman ni un papa n'oublient leurs enfants ! la rassure papa.

– Tu te faisais une joie de ces vacances… se désole maman.

– On t'appellera tous les jours, renchérit papa.

Zouzou ne veut pas prendre le risque qu'on l'oublie.

– J'ai plus très envie… dit-elle.

– Écoute mon lapin, tu vas réfléchir comme une grande, propose papa. Si tu ne veux vraiment plus partir, nous préviendrons les parents de Lulu.

– Ce qui nous importe, précise maman, c'est que tu sois contente de partir. Personne…

Mais Zouzou ne l'écoute pas. Elle est partie chercher la solution dans sa tête.

Ah, si j'étais...

ET HOP!

Zouzou s'imagine qu'elle devient…
Mademoiselle Zouzou !

En quoi va-t-elle se transformer
pour résoudre son problème ?

Ça y est !
Mademoiselle Zouzou
a trouvé :

ELLE SERA SPÉCIALISTE
DES QUESTIONS SANS RÉPONSE !

Mais comment une spécialiste
des questions sans réponse
va-t-elle pouvoir aider Zouzou
à ne plus douter ?

Viiite, la suite de l'histoire !

3

L'AGENCE RÉPONSE À TOUT

Par une belle journée de printemps, Mademoiselle Zouzou se rend à pied chez son nouveau client, M. Marcel. Il cherche la réponse à une question et pour cela, il a fait appel à l'agence Réponse à Tout.

Mademoiselle Zouzou a en effet créé une agence un peu particulière. Elle est spécialisée dans les questions sans réponse.

Le principe est très simple : on lui pose une question, Mademoiselle

Zouzou cherche la réponse.

Il lui arrive de répondre à des questions étranges. Une fois, un jeune garçon lui a demandé pourquoi une vache ne pouvait pas descendre un escalier !

Drôle de question !

Aidée de son ami Albert, elle a fait l'expérience. Effectivement la vache ne pouvait pas descendre un escalier alors qu'elle pouvait le monter ! Albert a tenté de lui apprendre mais impossible d'y arriver !

Mademoiselle Zouzou a recherché le spécialiste qui pouvait expliquer cette bizarrerie. Elle lui a soumis le

problème, elle a noté ses explications et ensuite, elle a donné la réponse au jeune garçon.

Une vache a des genoux qui se plient dans la montée mais pas dans la descente. C'est une question d'articulation.

Parfois, il n'y a pas de réponses à la question que l'on pose à Mademoiselle Zouzou. C'est la vie qui veut ça !

Il y a aussi des questions qui aimeraient être posées mais qui ne le sont pas et qui se cachent derrière d'autres. Mademoiselle Zouzou est très forte pour les débusquer et y répondre !

C'est même la meilleure au monde et c'est pour cela qu'autant de personnes font appel à elle.

4
QUI ÊTES-VOUS DÉJÀ ?

TOC ! TOC ! TOC ! frappe Mademoiselle Zouzou à la porte de son nouveau client.

– Qui c'est ? entend-elle.

– Mademoiselle Zouzou. Je viens voir M. Marcel.

La porte s'ouvre sur un homme à l'air préoccupé qui, au grand étonnement de Mademoiselle Zouzou, a un papier collé sur le front !

– Désolé, dit-il, j'avais oublié notre rendez-vous !

– Il est un peu bizarre, se dit la spécialiste des réponses en entrant.

À son grand étonnement, la pièce est pleine de petits papiers collés partout. Sur chacun d'eux, il y a quelque chose d'écrit.

– Pourquoi vous vous laissez des petits mots partout ? demande-t-elle.

– Pour ne pas oublier pardi ! répond M. Marcel. Vous venez pour quoi ?

– Je viens chercher votre question pour y répondre, explique-t-elle.

M. Marcel se gratte la tête et dit :

– Je ne sais plus où j'ai mis le papier sur lequel je l'ai notée ! J'ai dû m'écrire un mémo pour ça, il suffit de le trouver.

– Vous voulez que je vous aide ? propose Mademoiselle Zouzou.

– Oh, ça oui ! À chaque fois, c'est pareil ! se désole-t-il, j'écris un mémo pour me rappeler où j'ai mis mon premier mémo. Au bout d'un moment je me retrouve à écrire le mémo du mémo du mémo du mémo du mémo de l'info !

« Sur le bureau à gauche », « sur la lampe »… lit Mademoiselle Zouzou. Petit à petit, elle remonte la piste. Enfin, elle découvre que le mémo sur lequel est écrit la question est collé près du cœur de M. Marcel !

– Mais oui, bien sûr ! s'exclame-t-il. Je l'ai mis là pour ne pas l'oublier !

Mademoiselle Zouzou sourit.

– Quel étourdi ce M. Marcel ! se dit-elle.

Celui-ci lit son pense-bête à voix

haute : « J'aimerais bien comprendre pourquoi j'oublie toujours tout, tout le temps ».

– Y a-t-il une chose que vous n'oubliez jamais ? demande Mademoiselle Zouzou.

Sans même regarder un de ses mémos, M. Marcel répond du tac au tac :

– Bien sûr : mes enfants ! Mes amours de chéris de bonheur ! se réjouit-il.

Quelques instants plus tard, Lucie et Oscar, ses enfants, passent la porte du bureau de leur père. Aussitôt, leur papa les accueille en ouvrant

grand les bras. Ses enfants s'y précipitent avec joie et l'embrassent.

– Mes chéris, je vous présente… commence par dire M. Marcel en désignant Mademoiselle Zouzou. Mais il s'arrête et se met à rougir :

– Je suis désolé, j'ai encore oublié votre nom.

Oscar et Lucie éclatent de rire bientôt rejoints par Mademoiselle Zouzou qui se présente toute seule.

Comme les grandes personnes

vont discuter de choses sérieuses, Lucie emmène son frère jouer dans le salon.

– Ils sont merveilleux, n'est-ce pas ? dit M. Marcel en les regardant quitter son bureau.

– Je pense savoir pourquoi vous ne

les oubliez jamais, dit la spécialiste des réponses, mais avant de vous l'expliquer, je vais approfondir la question.

– Quelle question déjà? l'interroge M. Marcel.

Mademoiselle Zouzou sourit et griffonne sur un pense-bête:

Mademoiselle ZOUZOU cherche pourquoi j'oublie tout, alors que je n'oublie jamais mes enfants. Elle revient me donner LA RÉPONSE DANS DEUX JOURS.

Puis elle le colle sur le cadre de la photo de ses enfants. Il est posé face à lui sur son bureau. Peut-être qu'ainsi, M. Marcel ne l'oubliera pas ?!

La spécialiste part aussitôt mener son enquête. Elle va devoir trouver les réponses à TOUTES les questions de M. Marcel car, derrière la question

qui le préoccupe et qu'il lui a posée,
il y en a une autre de cachée…

5

LE TRUC iNFAiLLiBLE QUi PERMET DE NE PAS OUBLiER

Deux jours plus tard, Mademoiselle Zouzou retourne comme prévu chez M. Marcel. Elle a consulté plusieurs spécialistes pour avoir la réponse la plus complète possible.

Son client lui ouvre la porte, un grand sourire aux lèvres. Il tient à la main le mémo sur lequel elle avait écrit qu'elle reviendrait avec la réponse à sa question.

– Alors ? demande-t-il sans prendre le temps de dire bonjour.

Tout en s'asseyant, Mademoiselle Zouzou sort son carnet de notes pour bien lui expliquer ce qu'elle a trouvé.

— En fait, il existe un drôle de phénomène qui est valable pour tous les parents en ce qui concerne leurs enfants, dit-elle.

Ah bon, quel est-il ?

Je vous explique.

– Ah ? s'étonne M. Marcel.

– Les parents n'oublient pas leurs enfants car c'est la mémoire du cœur qui retient et non la mémoire de la tête qu'on utilise habituellement.

– Le cœur a donc une mémoire ? s'exclame M. Marcel.

– C'est une mémoire mais ça n'est pas vraiment une mémoire, précise Mademoiselle Zouzou. On ne peut pas choisir ce qu'on y met !

– C'est très mystérieux… s'étonne M. Marcel en fronçant les sourcils. Il n'y a pas assez de place, c'est ça ?

La spécialiste des réponses sourit et répond :

– Il y a toute la place que l'on veut !
Il y en a même toujours et elle ne se
réduit jamais ! Bien au contraire, elle
s'agrandit !

M. Marcel est perplexe.

– Qu'est-ce que c'est que ce cha-
rabia ?! s'énerve-t-il. Moi je ne veux
savoir qu'une chose…

– Youpi ! Vous allez me poser votre
question cachée ! se réjouit Mademoiselle Zouzou.

– Quoi ? s'étonne M. Marcel.

– Mais oui, celle que vous n'avez
pas osé me poser mais qui vous tra-
casse depuis le début.

Puis elle ajoute plus sérieusement :

– Si votre question est : « se peut-il qu'un jour j'oublie mes enfants ? » La réponse est : c'est impossible !

M. Marcel pousse un soupir de soulagement car c'était bien la question qu'il n'osait pas poser. Peut-être avait-il un peu peur de la réponse ?

– Les parents n'oublient jamais leurs enfants, poursuit Mademoiselle Zouzou. Ils sont dans leurs cœurs et ils y sont pour toujours.

– Comment pouvez-vous en être aussi certaine ? demande M. Marcel qui n'en est pas encore persuadé.

– Quand je vous l'aurai dit, vous ne douterez plus jamais, je vous le promets ! s'amuse Mademoiselle Zouzou.

La spécialiste des questions regarde avec tendresse la photo des enfants de son client.

– Quelle est donc ce truc infaillible pour ne plus douter ?! s'impatiente alors M. Marcel.

– Cela s'appelle l'amour, répond-elle. Tout simplement !

M. Marcel reste un moment silencieux, puis il éclate de rire.

– Mais bien sûr ! s'exclame-t-il. Je n'oublie pas mes enfants car je les aime ! Comment ai-je pu oublier une chose aussi merveilleuse ?!

– Vous n'avez pas de tête, mon cher M. Marcel, mais vous avez du cœur, précise en souriant Mademoiselle Zouzou. Vous le saviez donc avec votre cœur mais vous l'aviez oublié avec votre tête !

– C'est mon drame, soupire son client. Il y a beaucoup de choses que je sais mais j'oublie que je les sais !

Puis il ajoute en souriant :

– Voilà donc le secret qui fait que les parents n'oublient jamais leurs enfants.

– Eh oui, c'est l'amour ! reprend Mademoiselle Zouzou. Il ne dépend ni des saisons ni du temps qui passe.

Il est toujours là.

– Oh merci Mademoiselle Zou-zou, je suis rassuré. Grâce à vous, j'ai la certitude que jamais je n'oublierai mes enfants. L'amour que je leur porte est bien trop fort pour ça. Et jamais il ne diminuera !

– Eh oui, les parents aiment leurs enfants pour la vie ! dit la spécialiste des questions sans réponse. Et puis si les enfants font des bêtises ou n'obéissent pas, ça ne va rien changer à leur amour.

M. Marcel sourit en repensant à certaines bêtises de ses enfants.

– Si vous avez d'autres questions,

poursuit Mademoiselle Zouzou, n'hésitez pas à venir me trouver, je suis à votre disposition !

oh là là, j'ai encore tout oublié !

M. Marcel regarde alors son inter-locutrice et soudain il lui dit, gêné :
– C'est quoi déjà votre métier ?
Mademoiselle Zouzou éclate de

rire et lui répond en franchissant la porte :

– Aucune importance ! Vous avez retenu l'essentiel !

Sacré M. Marcel !

ÇA Y EST, ZOUZOU EST RASSURÉE!

6

DE RETOUR
DANS LA RÉALITÉ...

Petit à petit, Zouzou entend à nouveau ce que dit maman :

– Nous, ce qui nous importe, c'est que tu sois heureuse d'aller en vacances avec tes amies. Personne ne va t'oublier pendant ton absence, c'est promis.

Zouzou a repris confiance et elle sèche ses larmes. Elle sait ce qu'elle doit faire pour être sûre qu'ils ne vont pas l'oublier.

Debout face à ses parents assis sur

le canapé, elle les regarde droit dans les yeux et leur dit :

— Je vais vous poser une seule question, d'accord ? Puis elle précise : il faudra me répondre sans réfléchir.

Avec gravité, ses parents acquiescent.

Zouzou prend sa respiration et pose LA question. Elle connaît déjà

la réponse mais pour plus de sûreté, elle préfère quand même la poser.

– Est-ce que je suis dans votre cœur ?

– Bien sûr ! s'exclament papa et maman sans hésiter.

– Alors vous m'aimez ? ajoute-t-elle.

Les deux prennent chacun la main de leur fille et la regardent dans les yeux.

– Oui, nous t'aimons très fort, répond maman.

– L'amour que nous avons pour toi sera toujours là, Zouzou. C'est une certitude, répond papa.

OUF ! Zouzou est rassurée.

– Moi aussi je vous aime, dit Zou-zou en souriant, et promis, je ne vous oublierai pas quand je serai avec Clara et Lulu !

Maman et papa sont bien contents : leur fille a retrouvé son envie de partir en vacances avec ses amies.

Je suis pour toujours dans votre cœur !

Mamou et papou accompagnés de leur petit-fils reviennent dans le salon. Le frère de Zouzou marche vers sa sœur la tête baissée.

– Je m'excuse, dit-il. J'ai été méchant avec toi.

– Moi aussi, je m'excuse. Je voulais te rendre jaloux.

– Tu sais, je vais pas t'oublier, ajoute Rémi. Peut-être même que tu vas me manquer…

Zouzou fait un large sourire. C'est la première fois que son frère lui dit un truc pareil !

Rémi s'en rend compte et aussitôt se reprend :

– J'ai dit « peut-être »…

– Peut-être que toi aussi, tu vas me manquer un petit peu, dit à son tour Zouzou.

Rémi sourit à sa sœur et lui demande :

– Je pourrai jouer avec le Choulou Chéri pendant ton absence ?

– Pas question ! s'écrie Zouzou.

– Qu'est-ce que ça peut te faire ? Tu ne seras pas là ! rétorque Rémi, agacé par l'attitude de sa sœur.

– Papa !!! crie Zouzou, Rémi veut me prendre mon Choulou !

Papa, maman et les grands-parents sourient :

– La trève aura été de très courte durée… soupire mamou.

– Mais suffisamment longue pour se dire qu'ils s'aiment ! précise maman en souriant.

Mamou regarde alors sa belle-fille et lui dit d'une voix pincée :

– J'aimerais bien que vous m'expliquiez comment vous avez pu nous oublier ?!

– Heu… répond maman.

– Et si on passait à table ? propose papa pour venir en aide à sa femme.

– Oh oui ! s'exclament les enfants.

– Ouf, soupire maman.

Avant de se mettre à table avec

toute sa famille, Zouzou regarde ses parents et leur dit pleine d'entrain :

– Je vais passer des super vacances !

Le soir, dans son lit, Zouzou a vraiment hâte d'être au lendemain pour partir en vacances comme une grande avec ses amies.

Puis elle se dit :

– Merci Mademoiselle Zouzou, t'es la meilleure pour m'aider à comprendre ! Vivement la prochaine aventure !

BYE BYE LES Z'AMIS !

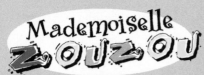